Clark aide à la ferme.
Ce gars est vraiment costaud!

DC COMICS

LA SOCIÉTÉ SECRÈTE DES SUPERHÉROS

FORT SOLITUDE

Texte original de **Derek Fridolfs** | Illustrations de **Dustin Nguyen**

Texte français d'**Isabelle Allard**

À M. Painter, mon enseignant de sixième année. Son allure imposante à la John Wayne a cédé la place à un sens de l'humour ironique qui a rendu mon expérience de camp inoubliable. — Derek

Je suis reconnaissant à mes enfants, Bradley et Kaeli, de remplir mes jours d'émerveillement et de fantaisie qui stimulent mon imagination. Ils ont compris dès le premier jour pourquoi leur papa dessinait sans cesse. Un grand merci à ma femme Nicole de s'occuper de tout afin que je puisse dessiner. — Dustin

CATALOGAGE AVANT PUBLICATION DE BIBLIOTHÈQUE ET ARCHIVES CANADA

FRIDOLFS, DEREK

[FORT SOLITUDE. FRANÇAIS]

FORT SOLITUDE/DEREK FRIDOLFS ; ILLUSTRATIONS DE DUSTIN NGUYEN; TEXTE FRANÇAIS D'ISABELLE ALLARD.

(DC COMICS, LA SOCIÉTÉ SECRÈTE DES SUPERHÉROS) TRADUCTION DE : FORT SOLITUDE.

ISBN 978-1-4431-5928-9 (COUVERTURE SOUPLE)

1. ROMANS GRAPHIQUES. I. NGUYEN, DUSTIN, ILLUSTRATEUR II. TITRE. III. TITRE: FORT SOLITUDE. FRANÇAIS

PZ23.7.F75FO 2017   J741.5'973   C2016-906201-5

ÉDITION PUBLIÉE PAR LES ÉDITIONS SCHOLASTIC, 604, RUE KING OUEST, TORONTO (ONTARIO) M5V 1E1

5 4 3 2 1   IMPRIMÉ AU CANADA 139   17 18 19 20 21

CONCEPTION GRAPHIQUE : RICK DEMONICO ET CHEUNG TAI

RECYCLÉ
Papier fait à partir de matériaux recyclés
FSC® C103567
www.fsc.org

DEST. : CLARK KENT
OBJET : RÉCOMPENSE D'EXCELLENCE

FÉLICITATIONS! VOS RÉSULTATS SCOLAIRES VOUS
ONT PLACÉ PARMI LES PREMIERS DE LA CLASSE.
CELA VOUS DONNE DROIT À UNE SEMAINE AU CAMP
D'AVENTURE EVERGREEN DANS LES MONTAGNES.
JOIGNEZ-VOUS À NOUS POUR DES COMPÉTITIONS
AMICALES ET DES ACTIVITÉS ENCOURAGEANT
L'ESPRIT D'INDÉPENDANCE ET FAVORISANT DES
AMITIÉS QUI DURERONT TOUTE LA VIE.

VEUILLEZ RÉPONDRE À CE COURRIEL POUR PLUS
D'INFORMATION.

MERCI DE PRENDRE VOS ÉTUDES À CŒUR. NOUS
SOMMES IMPATIENTS DE VOUS ACCUEILLIR.

MILTON
DIRECTEUR DU CAMP D'AVENTURE EVERGREEN

6

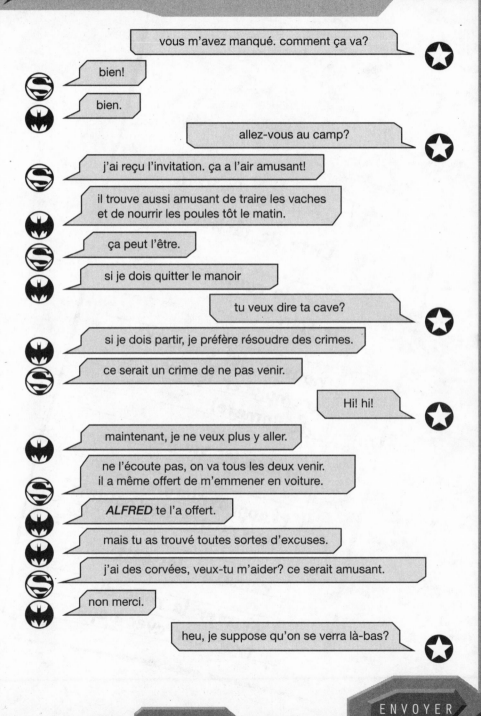

Famille Kent

Liste de tâches

finir de ramasser
le foin

nourrir les chevaux
(remplacer le fer
de Comète)

traire les vaches

réapprovisionner la
nourriture des poulets

ramasser les œufs

ajuster la roue du
tracteur avec papa

CHALET 6

CHALET 7

CHALET 8

CHALET 9

CHALET 10

13

RÈGLEMENTS

- 6 h. Tout le monde debout! Couvre-feu à 21 h. Ne sortez pas la nuit ou l'épouvantail vous attrapera!

  L'épouvantail? Qui est-ce?

- Portez l'uniforme du camp (que vous trouverez dans votre chalet).

- Tout le monde travaille à la cuisine. L'horaire est affiché dans votre chalet. À vos marmites!

  Super! Je vais utiliser les recettes de maman.

- Faites de votre mieux dans toutes les activités et compétitions. Il y aura des évaluations.

  C'est bizarre. Je pensais qu'on était ici pour s'amuser?

- Si vous avez des questions, adressez-vous aux moniteurs.

- Soyez prêts à vivre une aventure!

REMISE D'ENTREPOSAGE – RAPPORT D'INVENTAIRE

* OBJETS RETIRÉS AUX CAMPEURS À LEUR ARRIVÉE

* APPAREILS ÉLECTRONIQUES INTERDITS — SANS EXCEPTION

OBJET N°	DESCRIPTION	QUANTITÉ	NOTES
0001	TÉLÉPHONE CELLULAIRE À MOTIFS DE LOSANGES ROUGE ET NOIR	1	APPARTIENT À HARLEEN QUINZEL
0002	CONSOLE DE JEUX VIDÉO PORTATIVE	1 (COMPREND LE JEU RONGEURS RAPIDES)	APPARTIENT À BARRY ALLEN
0003	FOURCHE À TROIS DENTS	1	USTENSILE DÉMESURÉ RETIRÉ DE LA CUISINE PAR ARTHUR CURRY
0004	VIBREUR POUR POIGNÉE DE MAIN	13	TROUVÉ SUR JOE KERR; FOUILLER SA CHAMBRE
0005	CROCHETS À SERRURES	4	TROUVÉS SUR SELINA KYLE
0006	ORDINATEUR PORTABLE ET LOGICIEL DE CRYPTAGE	1	APPARTIENNENT À BRUCE WAYNE; À VÉRIFIER
0007	FUSIL À GRAPPIN, LUNETTES DE VISION NOCTURNE, PISTOLET TASER	1 DE CHAQUE	OBJETS « PERSONNELS » DE BRUCE WAYNE; ACCROÎTRE SÉCURITÉ DE LA REMISE.

JOURNAL DE CLARK

C'est génial de revoir Bruce et Diana! Et de ne pas avoir à m'occuper des animaux de la ferme. J'espère que Streaky ne montera pas dans l'arbre. Qui le fera redescendre si je ne suis pas là? Quel idiot de chat!

Aller dans un nouvel endroit, c'est amusant! Je vois plus d'arbres et de montagnes que par chez moi. Tout ce qu'il y a à Smallville, ce sont des champs de maïs, des tracteurs et un bar laitier. Mais il sert un excellent lait frappé double chocolat!

Diana a l'air d'apprécier ce camp plus que moi. C'est sûrement parce qu'elle est toujours sur la plage, là d'où elle vient. Comment peut-on s'en lasser? Quant à Bruce, eh bien... c'est Bruce. J'ai dû lui forcer la main pour qu'il vienne. Je pense qu'il commence à aimer ça. Je l'ai vu sourire quand Diana a dit que son short lui allait bien. Il déteste porter des shorts!

Mon coloc s'appelle *Arthur*. Je pense qu'il préfère l'eau à la terre ferme. C'est logique puisqu'il est le maître nageur du camp. Il m'a parlé d'un monstre dans le lac. Je ne sais pas s'il blaguait. Diana veut que je l'aide à pousser Bruce dans l'eau. Que veut-elle vraiment? Mouiller Bruce ou me faire punir? Tout ça, c'est juste pour s'amuser. Je devrais peut-être me détendre.

Je vais en profiter pour compléter *mon album*. Il y a plein de choses à voir, noter et photographier. Il y a sept sortes de pommes de pin dans la forêt! Et beaucoup d'animaux. Qui a déjà entendu parler d'une limace-banane? Elle a la forme d'une banane! ET ELLE EST JAUNE! C'est dingue! Je ne veux rien manquer!

On a eu notre première course aujourd'hui! Je me suis arrangé pour ne pas gagner. J'essaie de passer inaperçu. Maman et papa seraient fiers de moi. Je ne sais pas si quelqu'un a gagné. Ce n'est pas grave. Sauf que le directeur et les moniteurs n'ont pas apprécié. Ils veulent qu'on fasse de notre mieux.

LUNDI - HORAIRE

6 h	-	Réveil
8 h	-	Inspection des chalets
8 h 30	-	Déjeuner
9 h	-	Chansons de rassemblement
10 h	-	Randonnée
12 h	-	Dîner
13 h	-	Album de randonnée
15 h	-	ACTIVITÉ N° 2 (Tir à l'arc)
17 h	-	Temps libre
19 h	-	Souper
20 h	-	Rassemblement
21 h	-	Couvre-feu

ATTENTION À L'ÉPOUVANTAIL!

MENU DU DÉJEUNER – EVERGREEN

ŒUFS, BACON, SAUCISSES, RÔTIES, GAUFRES, CRÊPES, CÉRÉALES, YOGOURT, FRUITS, LAIT, JUS

PORTIONS QUOTIDIENNES RECOMMANDÉES

33 %
Pain, riz, pommes de terre, pâtes et autres féculents

15 %
Lait et produits laitiers

12 %
Viande, poisson, œufs, fèves et autres protéines

33 %
Fruits et légumes

7 %
Aliments et boissons à haute teneur en gras ou en sucre

*** LES CALORIES, VITAMINES ET PORTIONS SERONT SURVEILLÉES ***

C'est bien qu'ils veuillent nous inculquer de bonnes habitudes alimentaires. Mais c'est bizarre. Ils nous ont regardés fixement pendant les repas. Ça met mal à l'aise de manger en étant observé. Bruce est allé manger dans la salle de bain pour avoir la paix. Je ne veux pas faire ça!

CHANSON D'EVERGREEN

JE SUIS GENTIL AVEC LES GENS,
J'AI L'ESPRIT FORT ET LE CŒUR VAILLANT.
IL N'Y A PAS DE DEMI-MESURE,
À EVERGREEN, C'EST L'AVENTURE!

TOUJOURS BON, JAMAIS MÉCHANT,
AVEC LES PETITS COMME LES GRANDS.
VENEZ NOUS VOIR DANS LA NATURE,
À EVERGREEN, C'EST L'AVENTURE!

ON RÉCOLTE CE QU'ON A SEMÉ.
NOTRE SUCCÈS EST ASSURÉ
SI ON CHANTE TOUS ENSEMBLE
DANS CE CAMP QUI NOUS RASSEMBLE!

TOUJOURS BON, JAMAIS MÉCHANT,
AVEC LES PETITS COMME LES GRANDS.
VENEZ NOUS VOIR DANS LA NATURE,
À EVERGREEN, C'EST L'AVENTURE!

24

25

RAPPORT D'INCIDENT

ÉLÈVE : Barry Allen

DESCRIPTION :

Barry a été surpris en train de mettre des roches dans le sac à dos d'autres campeurs en randonnée. Il a agi à leur insu. Plusieurs se plaignaient de maux de dos et disaient que leur sac était trop lourd.

MESURES PRISES :

Barry a dû balayer tous les chalets. Après avoir accompli sa tâche en quelques minutes, il a eu la corvée de latrines comme punition supplémentaire.

REMARQUES :

Barry a été décrit comme un blagueur invétéré. Les moniteurs le surveillent attentivement et réagiront en conséquence.

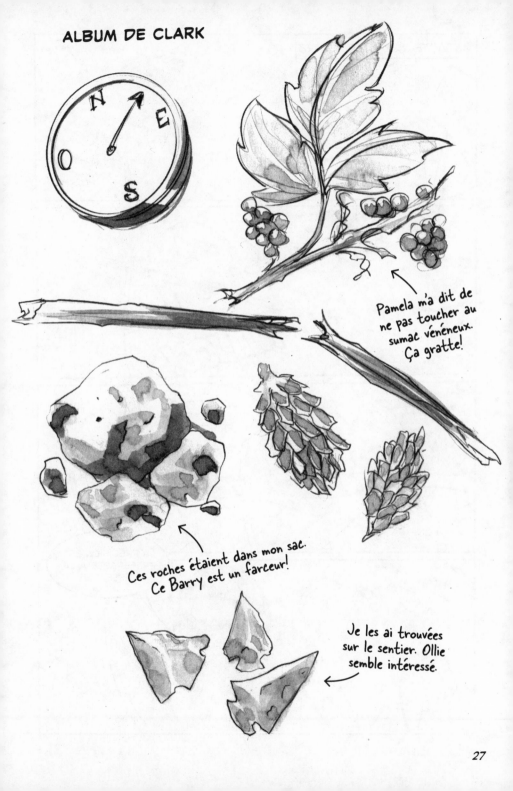

Pamela m'a dit de ne pas toucher au sumac vénéneux. Ça gratte!

Ces roches étaient dans mon sac. Ce Barry est un farceur!

Je les ai trouvées sur le sentier. Ollie semble intéressé.

C'est bizarre de ne pas pouvoir vous texter.
Mais on n'a plus de téléphones.

J'y travaille. Donnez-moi un peu de temps.

Ça ne me dérange pas. C'est amusant.
Je communique comme ça à Smallville.

C'est parce qu'il n'y a ni eau courante
ni électricité à Smallville.

Ignore Bruce. Il est fâché que je sois meilleure
que lui au tir à l'arc. Il ne sait pas viser.

Je vous ignore tous les deux.

Il paraît que Floyd a quitté Evergreen
après avoir gagné au tir à l'arc. Les
moniteurs n'ont pas dit pourquoi.

Leurs excuses sont aussi ridicules que les tiennes, Clark. Ça les rend suspects.

Tout le monde est suspect aux yeux de Bruce.

Comment vos messages arrivent-ils si vite?

J'utilise Barry comme messager. Il a offert de courir comme Hermès.

BARRY?! Ce gars est louche.

Non, je suis un incompris.

Barry! C'est une conversation privée.

Je ne suis pas censé lire les messages que j'apporte?

JOURNAL DE CLARK

C'est notre troisième journée ici et on commence à s'habituer aux horaires. Beaucoup de campeurs se réveillent tard et ratent le déjeuner. Me réveiller tôt n'a jamais été un problème pour moi. À la ferme, je me réveille au chant du coq. Je suis sûr que Bruce ne dort pas. Il a l'air d'être un vrai oiseau de nuit.

La compétition de tir à l'arc était amusante. Floyd Lawton a gagné. Puis une chose bizarre s'est produite. Ce matin, Floyd avait disparu. Personne ne sait ce qui lui est arrivé. C'est comme s'il s'était volatilisé durant la nuit. Arthur a entendu parler d'un autre gars qui a disparu à un camp précédent. Ça fait deux disparitions. J'ai questionné les moniteurs, mais ça n'a rien donné. L'un d'eux a prétendu que Floyd était parti parce qu'il était malade. L'autre a dit que Floyd faisait un voyage en famille. Ils pourraient au moins raconter la même chose!

Est-ce lié à cet épouvantail dont on ne cesse de nous parler? Ou est-ce juste une histoire visant à nous effrayer? D'autres campeurs disent avoir vu des choses bizarres dans les bois pendant la nuit. Et des égratignures sur la porte de leur chalet. Peut-être que tout le monde s'inquiète pour rien...

MARDI – HORAIRE

6 h	-	Réveil
8 h	-	Inspection des chalets
8 h 30	-	Déjeuner
9 h	-	Chansons de rassemblement
10 h	-	Bricolage
12 h	-	Dîner
13 h	-	Lac (baignade, embarcations)
15 h	-	ACTIVITÉ N° 3 (Course en canot)
17 h	-	Temps libre
19 h	-	Souper
20 h	-	Rassemblement
21 h	-	Couvre-feu

CROA CROA... L'ÉPOUVANTAIL EST LÀ!

vergreen
camp d'aventure

REMISE D'ENTREPOSAGE – RAPPORT D'INVENTAIRE

* OBJETS RETIRÉS AUX CAMPEURS À LEUR ARRIVÉE

* APPAREILS ÉLECTRONIQUES INTERDITS — SANS EXCEPTION

OBJET N°	DESCRIPTION	QUANTITÉ	NOTES
0008	CEINTURE AVEC BOMBES FUMIGÈNES, PÉTARDS, CLÉS	1	APPARTIENNENT À BRUCE WAYNE
0009	PLAN DÉTAILLÉ DE LA REMISE D'ENTREPOSAGE	1	CONFISQUÉ DANS LE CHALET N° 2 DURANT L'INSPECTION
0010	ORDINATEUR PORTABLE, TABLETTE NUMÉRIQUE, CLÉ USB	1 DE CHAQUE	APPARTIENNENT À VIC STONE
0011	TARTES	17	TROUVÉES DANS LE CHALET N° 2 DURANT L'INSPECTION; VERROUILLER LA CUISINE

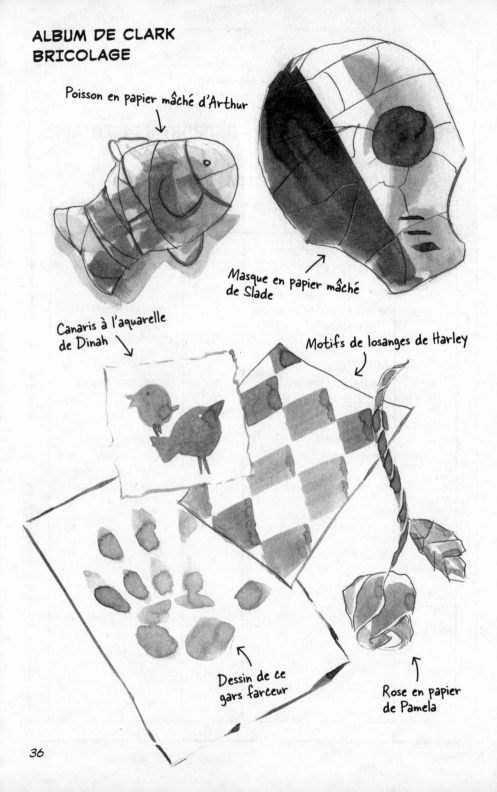

Poisson en papier mâché d'Arthur

Masque en papier mâché de Slade

Canaris à l'aquarelle de Dinah

Motifs de losanges de Harley

Dessin de ce gars farceur

Rose en papier de Pamela

UN APRÈS-MIDI
AU LAC!!!

- **NATATION** (ne vous inquiétez pas : il n'y a pas de piranhas!)
- **PÊCHE** (pas de piranhas non plus)
- **BRONZAGE** (avec piranhas... c'est une blague)
- **BALANÇOIRE PNEU** (fatigués de marcher? Venez vous balancer!)
- **BILLOTS SUR L'EAU** (amusez-vous à courir sur place)

CANOTS, KAYAKS ET CHALOUPES À VOTRE DISPOSITION (AVEC UN DÉPÔT)

SI VOUS ÊTES INTÉRESSÉS, VOYEZ ARTHUR (c'est moi!)

MAÎTRE NAGEUR SUR PLACE
12 h à 17 h

RAPPORT D'INCIDENT

ÉLÈVE : Barry Allen

DESCRIPTION :

Barry a été surpris en train de transporter des messages entre les chalets. Il est sorti le soir pour mettre de la boue dans les chaussures des campeurs.

MESURES PRISES :

Barry a dû vider toutes les poubelles du camp et défricher les sentiers de randonnée.

REMARQUES :

Barry continue de créer des problèmes. Il est exceptionnellement rapide et fuyant. On peut seulement imaginer tout ce qu'il complote à notre insu. C'est un candidat potentiel.

J'ai pu obtenir une photocopie de ce rapport. Les moniteurs nous surveillent tous. Je crains qu'il ne se passe quelque chose de grave. Que veulent-ils dire par « candidat »?

LAC CROCO
RÈGLES DE SÉCURITÉ

Ø **Ni aliments ni boissons près du lac** (seulement à la cafétéria)

Ø **Pas de chahut** (juste des chaloupes... humour de camp)

Ø **Pas de baignade le soir** (ce n'est pas éclairé)

Ø **Pas de plongeon des bateaux** (il y a des tremplins pour ça)

Ø **Ne pas boire l'eau** (ouache)

Δ **Sortir du lac sur demande** (d'Arthur)

**IL S'APPELLE LAC « CROCO » POUR UNE BONNE RAISON...
SOYEZ PRUDENTS**

DISPARU!
M'AVEZ-VOUS VU?
DERNIÈRE APPARITION PRÈS DU LAC

SMALLVILLE →

W J'ai presque gagné cette course. Même avec un lasso, ma partenaire n'aidait pas.

🦇 Ne commencez pas avec ça!

S C'est toi qui n'as pas commencé la course! Ha! Ha!

W Clark, c'était drôle! Comme quand Bruce a coulé dans le lac.

🦇 Arrêtez de m'envoyer des messages.

W Arrête de bouder. On t'aime quand même.

🦇 Pendant que vous blaguez, des gens disparaissent.

Que veux-tu dire, Bruce?

Dinah a disparu. Elle n'est pas revenue au chalet après la course en canot.

Personne ne l'a vue?

J'ai interrogé les moniteurs. Ils ont dit qu'elle avait mal à la gorge.

Ce n'est pas une raison pour la renvoyer chez elle. Même moi, je sais ça!

Qui dit qu'elle est rentrée chez elle?

Soyez prudents.

JOURNAL DE CLARK

La troisième journée au camp est comme les autres. De la mauvaise bouffe de cafétéria, des blagues, des activités et des disparitions. Un autre élève s'est volatilisé.

Je déteste l'admettre, mais je devrais penser comme Bruce. Ou du moins, l'écouter.

Papa dit toujours que quand il y a des trous dans un champ, on donne des coups de pied sur les roches pour débusquer les marmottes. C'est ce qu'il faut faire ici.

C'est dommage. J'aimais bien le camp au début, mais, maintenant, je crois que ce serait plus sécuritaire de rentrer à la maison. Ce n'est pas fini par contre. Je ne suis pas du genre à abandonner.

Evergreen camp d'aventure

Salut, Pete,

Evergreen est une expérience intéressante, mais j'ai hâte de vous revoir, Lana et toi. On pourrait aller au cinéma ou au casse-croûte ensemble?

J'espère que tout va bien chez nous. Va voir mes parents, si tu peux. Je n'ai pas eu de leurs nouvelles depuis que je suis arrivé.

Quand tu recevras cette lettre, le camp sera sûrement fini et je serai en route pour Smallville.

– C.K.

MERCREDI – HORAIRE

6 h   -   Réveil

8 h   -   Inspection des chalets

8 h 30 -   Déjeuner

9 h   -   Chansons de rassemblement

10 h   -   Exploration de la nature

12 h   -   Dîner

13 h   -   Concours de tartes

15 h   -   ACTIVITÉ N°4 (Cache-cache)

17 h   -   Temps libre

19 h   -   Souper

20 h   -   Danse carrée

21 h   -   Couvre-feu

L'ÉPOUVANTAIL A-T-IL GRATTÉ À TA PORTE?

REMISE D'ENTREPOSAGE – RAPPORT D'INVENTAIRE

* OBJETS RETIRÉS AUX CAMPEURS À LEUR ARRIVÉE

* APPAREILS ÉLECTRONIQUES INTERDITS — SANS EXCEPTION

OBJET N°	DESCRIPTION	QUANTITÉ	NOTES
0012	POULET EN CAOUTCHOUC	1	APPARTIENT À JOE KERR
0013	YOYO	1	CONFISQUÉ À HARLEEN QUINZEL; ELLE L'UTILISAIT POUR FRAPPER LES GENS
0014	PISTOLET À EAU	1	APPARTIENT À JOE KERR; CONTIENT DU JUS DE CITRON
0015	PISTOLET À BOUCHON	1	CONFISQUÉ À HARLEEN QUINZEL; AVEC DRAPEAU PORTANT LE MOT « BANG »
0016	PIED-DE-BICHE	1	PROVIENT DU CABANON; TROUVÉ DURANT L'INSPECTION

RAPPORT D'INCIDENT

ÉLÈVE : Barry Allen

DESCRIPTION :

Barry a commencé une bataille de ballons remplis d'eau. Les vidéos de surveillance présentent des divergences, mais il semble être partout à la fois pendant qu'il lance des ballons aux campeurs. Ce qui suggère plusieurs Barry Allen ou un trucage de caméra.

MESURES PRISES :

Barry a été affecté à la cuisine pour le reste de son séjour.

REMARQUES :

Nos systèmes de surveillance continuent d'avoir du mal à repérer Barry. Des mises à jour sont nécessaires.

Donc, ils nous observent de près! Dans quel but? Cela semble aller au-delà de la sécurité normale d'un camp. Attends que Bruce le sache!

MENU DU MIDI

PLATS SERVIS AUJOURD'HUI!

JOURNÉE PIZZA
(TOUS LES JOURS)

HAMBURGERS BARBECUE
(AVEC PLEIN DE SERVIETTES)

SANDWICH AU POULET
(PAS POUR LES POULES MOUILLÉES)

SPAGHETTI ET BOULETTES DE VIANDE
(UN EFFET BŒUF!)

NACHOS
(OLÉ!)

BAR À SALADE VERTE EVERGREEN
(AVEC TOUTES LES GARNITURES, MÊME DES INSECTES)

JOURNAL DE CLARK

Comme les moniteurs sont toujours avec nous, j'ai décidé de les interroger pour en avoir le cœur net. Ça n'a rien donné.

Ils n'écoutaient même pas. Ils ne s'intéressent qu'aux compétitions et leurs réponses sont évasives. Lorsque j'ai voulu savoir pourquoi tant d'élèves avaient disparu, ils ont eu l'air surpris, comme s'ils n'étaient pas au courant. Menteurs! Et quand j'ai insisté, ils m'ont envoyé travailler à la cuisine.

Ils sourient tout le temps, comme s'ils voulaient cacher quelque chose. C'est faux et forcé. Même Bruce a différentes expressions faciales, qui vont généralement de grognon à irrité.

Il n'y a pas de téléphone, alors on ne peut pas appeler chez nous. On ne peut pas envoyer de lettres non plus. C'est comme si on était prisonniers.

Ma théorie est que tout élève qui se démarque en remportant une compétition devient une cible. Diana est d'accord. Bruce trouve cette théorie crédible.

Je vais la vérifier en gagnant la prochaine compétition. Ainsi, je verrai si je disparais. J'espère me tromper...

CONCOURS DE TARTES

AVEZ-VOUS FAIM?

VENEZ MESURER VOTRE APPÉTIT AU
LIEU DE RASSEMBLEMENT À 14 H.

IL Y AURA DIFFÉRENTES
TARTES : POMMES, BLEUETS,
CITROUILLE, RHUBARBE ET CHOCOLAT.
CELUI OU CELLE QUI EN MANGERA
LE PLUS SERA COURONNÉ ROI OU
REINE DE LA TARTE!

JOURNAL DE CLARK

Ce que je craignais est arrivé. Un autre élève a disparu. Après avoir gagné le concours de tartes, Barry Allen s'est volatilisé. Personne ne l'a vu depuis qu'il a été couronné. Ses affaires ne sont plus là non plus. Il n'est jamais retourné à la cuisine.

C'est ma faute...

D'après Bruce, heureusement que j'ai perdu. Sinon, c'est moi qui aurais disparu. Sauf que c'était mon intention. C'était le seul moyen de savoir où sont les élèves disparus. Barry est parti à cause de moi (et de sa vitesse... ce gars est super rapide).

Les moniteurs ont renoncé à trouver des excuses. Cette fois, ils disent ignorer où est passé Barry, qu'il a toujours fait des blagues et est probablement en train d'en préparer une autre. En temps normal, je serais d'accord avec eux. Mais pas cette fois.

TRÈS ÉTRANGE

par Lois Lane, journaliste junior du Daily Planet

Durant ma semaine au camp d'aventure Evergreen, j'ai découvert plusieurs secrets dissimulés au public. Certains concernaient des monstres vivant dans le lac et les bois, présentés comme des histoires épeurantes par les campeurs. Des lumières dans le ciel nocturne évoquaient un OVNI. Les campeurs démontrant des habiletés particulières disparaissaient. Quand j'ai voulu fouiller davantage, on m'a empêchée de poursuivre ou d'avoir de l'aide. Finalement, les moniteurs se sont désintéressés de moi et m'ont renvoyée plus tôt à Métropolis. Soit je les énervais, soit ils voulaient me faire taire. Mais maintenant, j'ai l'occasion de raconter ma version de l'histoire.

(à suivre en page Z-22)

J'ai suivi les lumières dans les bois. Les sons et les lumières. Ils ne voulaient pas être vus ni entendus. Mais j'ai vu et entendu. Qui sont-ils? Pourquoi sont-ils ici? J'ai essayé de m'approcher, mais quelque chose me retenait. Était-ce la peur? Ou une barrière invisible entre nous? Les avais-je alertés de ma présence? Le vent soufflait dans les arbres. Au début, c'est moi qui les cherchais. Puis ils se sont lancés à mes trousses. J'ai couru le plus vite possible, en essayant de ne pas laisser de traces. Mais ils continuent de me poursuivre. De traquer mes moindres pas. Je vais noter mes souvenirs en détail dans mon blogue de complot, Sage Conseil. D'ici là, je demeure...

SAGE CONSEIL

CHOISISSEZ VOTRE PARTENAIRE POUR UNE SOIRÉE DE...

DANSE CARRÉE

20 H, LIEU DE RASSEMBLEMENT

MUSIQUE DE **DJ VIBE**
DES BOISSONS SERONT SERVIES

PRÉSENCE OBLIGATOIRE!

JOURNAL DE CLARK

Pamela a disparu. De plus en plus de campeurs manquent à l'appel. Il y a des sièges vides à la cafétéria. Des lits vides dans les chalets. C'est troublant. Tout le monde devient paranoïaque, pas seulement Bruce.

Les seuls qui ne se tracassent pas sont les moniteurs. Quel est leur problème? Ça devrait les inquiéter de perdre des enfants!

D'après ce que j'ai vu dans le fort, c'est arrivé à d'autres groupes avant nous. Si les moniteurs ne nous aident pas, il faudra trouver de l'aide là où on peut.

Le plan de Bruce prévoit que Diana aille distraire les moniteurs pendant qu'il se faufile dans le bureau et utilise leur ordi pour envoyer des courriels. Je n'aurais jamais cru être d'accord avec lui, mais ça vaut la peine d'essayer...

CHÈRE LOIS,

J'AI LU TON ARTICLE SUR EVERGREEN. JE SUIS ACTUELLEMENT
AU CAMP D'AVENTURE ET DES CHOSES ÉTRANGES S'Y PRODUISENT.
LES CAMPEURS DISPARAISSENT. J'AI PEUR QUE MES AMIS ET MOI
SOYONS LES PROCHAINS. J'ESPÈRE QUE TU RECEVRAS CE MESSAGE
ET QUE TU POURRAS NOUS AIDER À FAIRE LA LUMIÈRE SUR CE
CAMP ET NOUS ENVOYER DES RENFORTS. MERCI.

— CLARK

À : SPVG
OBJET : ACTIVITÉ CRIMINELLE

J'AIMERAIS DÉPOSER UNE PLAINTE CONTRE LE CAMP
D'AVENTURE EVERGREEN. DES JEUNES ONT DISPARU ET
JE CROIS QUE LE PERSONNEL EST COUPABLE. ENVOYEZ
L'UNITÉ DES ENQUÊTES SPÉCIALES À CETTE ADRESSE,
AINSI QUE L'ESCOUADE CANINE POUR FLAIRER DES PISTES.
CETTE REQUÊTE DOIT ÊTRE TRAITÉE EN PRIORITÉ ET PORTÉE
À L'ATTENTION DU DÉTECTIVE JAMES GORDON. IL A L'AIR
D'UN HOMME QUI PEUT PRENDRE LA SITUATION EN MAIN.

BIEN À VOUS,

BRUCE WAYNE

<ERREUR>

<CE MESSAGE N'A PU ÊTRE ENVOYÉ AU DESTINATAIRE>

<LE SERVEUR NE RECONNAÎT PAS CETTE ADRESSE>

<REJETÉ PAR LE DOMAINE DU DESTINATAIRE>

JEUDI — HORAIRE

6 h	-	Réveil
8 h	-	Inspection des chalets
8 h 30	-	Déjeuner
9 h	-	Chansons de rassemblement
10 h	-	Temps libre
12 h	-	Dîner
13 h	-	Guide de survie
15 h	-	ACTIVITÉ N° 5 (Course d'obstacles)
17 h	-	Temps libre
19 h	-	Souper
20 h	-	Concours de talents
21 h	-	Couvre-feu

N'AYEZ PAS PEUR DU NOIR, AYEZ PEUR DE L'ÉPOUVANTAIL!

UNITÉ D'ENQUÊTE CRIMINELLE — RECRUES POSSIBLES

△ VIC STONE = Crack des ordis et de la technologie

? OLLIE QUEEN = Sait décocher des flèches et des traits d'humour; gros égo, par contre

△ ARTHUR CURRY = Bon gars sympathique

△ ZATANNA = Tours de magie utiles; parle à l'envers

? MARI = Peu d'infos sur elle; aime les animaux

LENNY SNART = Colérique et distant

SLADE WILSON = N'aime pas Vic

? SELINA KYLE = Est-elle digne de confiance?

CIRCE = Magie maléfique

PRISCILLA RICH = Snob, dure, féroce

? HARLEEN QUINZEL = Difficile à dire... peut être odieuse ou gentille

LOUISE LINCOLN = Comme Lenny, plutôt distante

Salut, Vic! On n'a pas eu l'occasion de se parler, mais tu as l'air cool.

Merci, Clark! C'est gentil.

C'est bizarre, hein, toutes ces disparitions?

Je sais. C'est louche. Même leur interdiction des appareils électroniques est louche.

Aimerais-tu faire quelque chose?

Je t'écoute.

On a formé un groupe d'enquête. On a besoin de gens pour nous aider.

Je suis d'accord. Le seul problème, c'est qu'ils ont confisqué tous mes appareils.

Je serais plus efficace si j'avais mes ordis et mon équipement.

Bruce pense comme toi. Vous devriez vous parler.

On y trouvera peut-être autre chose...

Quand y allez-vous?

Pendant le concours de talents.

Ce sera la distraction parfaite, car tout le monde sera là-bas.

Bonne chance!

Toi aussi.

Mari a un lien spécial avec la nature
et les esprits des animaux qui la
guident et lui confèrent leurs pouvoirs.

Mari et moi avons créé ce tableau
pour que tout le monde puisse
identifier son esprit animal. Pour
le découvrir, prends la première
lettre de ton prénom. Voilà ton
esprit animal.

TABLEAU DES ESPRITS ANIMAUX

A = Oryctérope

B = Chauve-souris

C = Lion

D = Colombe

E = Éléphant

F = Singe

G = Hippopotame

H = Tigre

I = Renard

J = Serpent

K = Crocodile

L = Gazelle

M = Porc-épic

N = Panthère

O = Rhinocéros

P = Guépard

Q = Kangourou

R = Lézard

S = Ours

T = Tortue

U = Morse

V = Vautour

W = Aigle

X = Phénix

Y = Loup

Z = Lapin

84

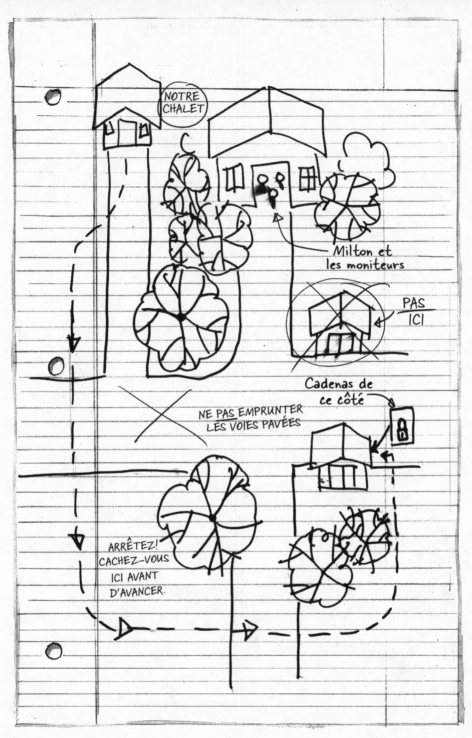

OPÉRATION : REMISE

Procéder silencieusement et rapidement

Avoir une vigie

NE PAS crier ou attirer l'attention

Crocheter la porte

NE PAS utiliser les poings, les pieds ou la tête

NE PAS utiliser de vision infrarouge secrète

User de ruse en se cachant dans l'ombre

NE PAS avoir peur de son ombre

NE PAS déclencher l'alarme

NE PAS se faire prendre

Récupérer l'équipement

NE PAS se faire enfermer

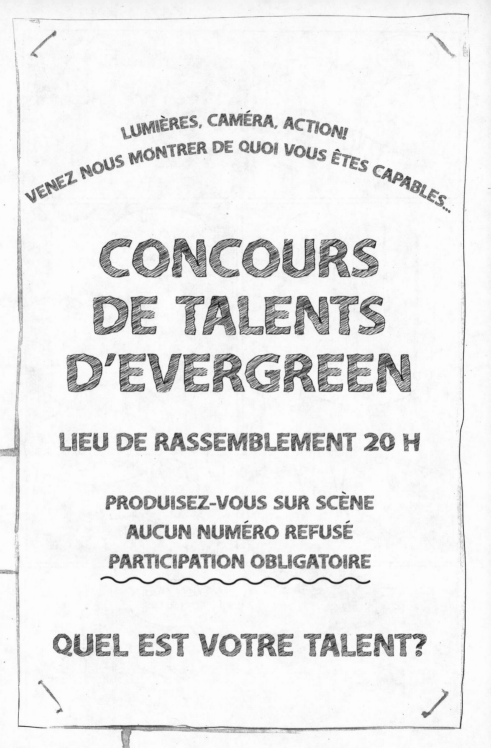

Pendant qu'on forçait la remise, le concours de talents avait lieu. J'ai obtenu des copies des cartes de pointage. C'est troublant de lire les réflexions des moniteurs pour chaque prestation. Ils ne notent pas les candidats pour leur talent, mais pour les critères qu'ils recherchent.

NOM :	JOE KERR
POINTAGE :	12 (DÉDUCTIONS POUR SES MAUVAIS CALEMBOURS ET POUR AVOIR ASPERGÉ L'ASSISTANCE DE JUS DE CITRON)
REMARQUES :	CE FARCEUR RACONTE DE MAUVAISES BLAGUES ET DES ÂNERIES. IMPRÉVISIBLE ET CHAOTIQUE. PAS LE « TALENT » QUE NOUS RECHERCHONS.

NOM :	OLIVER QUEEN
POINTAGE :	**74** (DÉDUCTIONS POUR L'ARROGANCE, MAIS BONS POINTS POUR L'ADRESSE)
REMARQUES :	OLLIE A DÉMONTRÉ UNE GRANDE HABILETÉ AU TIR. SON TALENT POUR ATTEINDRE LA CIBLE NOUS PERMETTRAIT D'AMÉLIORER NOTRE PROPRE SYSTÈME DE CIBLAGE.

NOM :	LOUISE LINCOLN
POINTAGE :	**80**
REMARQUES :	LOUISE PEUT CRÉER DE LA GLACE ET LUI FAIRE PRENDRE N'IMPORTE QUELLE FORME. ELLE PEUT PROVOQUER UN VENT GLACIAL, GELER LE SOL OU CRÉER DES SCULPTURES DE GLACE. SON « TALENT » POURRAIT S'AJOUTER AUX NÔTRES.

NOM :	PRISCILLA RICH
POINTAGE :	INDÉTERMINÉ
REMARQUES :	ELLE MANIFESTE DES ATTRIBUTS PHYSIQUES IMPRESSIONNANTS, MAIS NE LES A PAS DÉMONTRÉS ICI. SON TALENT MUSICAL EST ADÉQUAT, MAIS INUTILE.

NOM :	SELINA KYLE
POINTAGE :	INDÉTERMINÉ
REMARQUES :	TOUT COMME PRISCILLA, SELINA A DES TALENTS ACROBATIQUES, ASSOCIÉS À LA RUSE ET L'ASTUCE. ELLE EST TRÈS INDÉPENDANTE. ISSUE INCERTAINE.

JOURNAL DE CLARK

On a repris nos affaires dans la remise d'entreposage. C'est super! Sauf qu'ils nous ont menti au sujet des téléphones. Ils les ont détruits délibérément. Pourquoi faire une chose pareille? Et quels autres mensonges nous ont-ils racontés? Je n'en reviens pas que ce camp soit toujours ouvert!

Personne ne vient nous aider, alors il faut agir seuls. On a déjà un plan.

Avant, c'était seulement Diana, Bruce et moi. On a invité Vic à se joindre à nous. Grâce à son équipement informatique, il pourra nous aider à communiquer avec l'extérieur. Et on recrutera d'autres amis du camp dans notre groupe. Plus on sera nombreux, plus on sera en sécurité. Si tout le monde travaille ensemble, on pourra retrouver les campeurs disparus. J'en suis sûr!

On a perdu Mari. Diana ne s'en remet pas. Je lui ai dit que ce n'était pas sa faute. Il faut trouver les coupables et les faire payer. Je ne voudrais pas subir le courroux de Diana!

VENDREDI — HORAIRE

JOUR LIBRE

6 h	-	Réveil
8 h	-	Inspection des chalets
8 h 30	-	Déjeuner
12 h	-	Dîner
19 h	-	Souper
21 h	-	Couvre-feu

IL N'Y A QU'UNE CHOSE À CRAINDRE :
L'ÉPOUVANTAIL!

Comme on a la journée libre, il est temps d'agir. De rassembler les troupes et d'envahir le campement. Recueillir les données. Sauter sur l'occasion!

MESSAGE AUX CAMPEURS RESTANTS!!!

UNE CONSPIRATION VISE À DISSIMULER
LA DISPARITION DE CAMPEURS
À EVERGREEN. SI VOUS VOULEZ
DÉCOUVRIR LA VÉRITÉ, OUVREZ L'ŒIL!
RENDEZ-VOUS AU LAC AUJOURD'HUI
POUR EN DISCUTER.

N'EN PARLEZ À PERSONNE.

BOÎTE À SUGGESTIONS

VOUS AVEZ UNE QUESTION OU UNE SUGGESTION À TRANSMETTRE AU PERSONNEL? ÉCRIVEZ-LA CI-DESSOUS ET NOUS VOUS RÉPONDRONS.

QUESTION :

Des élèves ont disparu. Personne ne semble s'en soucier. Vous ne fournissez aucune réponse. Vous ne postez même pas nos lettres. Que répondez-vous à ça?

RÉPONSE DU PERSONNEL :

PERSONNE N'A DISPARU. TOUT LE MONDE EST PRÉSENT. MERCI DE VOTRE INTÉRÊT. BONNE JOURNÉE.

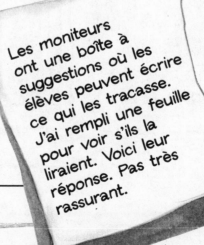

Les moniteurs ont une boîte à suggestions où les élèves peuvent écrire ce qui les tracasse. J'ai rempli une feuille pour voir s'ils la liraient. Voici leur réponse. Pas très rassurant.

J'ai décidé d'utiliser l'appareil photo que j'ai trouvé dans le fort pour observer les actions du directeur et des moniteurs.

Ils sourient sans arrêt.

Que fait-il ici?

Probablement un truc louche.

W Avez-vous remarqué comme tout est tranquille?
Milton et les moniteurs ne sont pas là.

bat Parfait! Leurs sourires m'énervaient.

W Et mon sourire?

bat Un peu moins énervant.

W J'ai distribué les dépliants dans les chalets.
On se retrouve au lac pour planifier la suite.

robot Hé, tout le monde! C'est Vic! Merci de m'avoir
aidé à récupérer mon équipement informatique.

robot J'ai crypté les données de vos téléphones, enlevé
les bogues et installé une protection antivirus.

W On va pouvoir se texter!

bat Je commence à aimer ce type.

on est revenus en ligne!

ça va me manquer d'écrire des messages sur des bouts de papier. C'était amusant.

si tu aimes le syndrome du canal carpien.

lol

<UN NOUVEL USAGER VIENT D'ARRIVER>

vous avez commencé sans moi.

VIC!!

salut, tout le monde.

merci d'avoir remis nos téléphones en marche.

ça va faciliter les choses.

pas de problème.

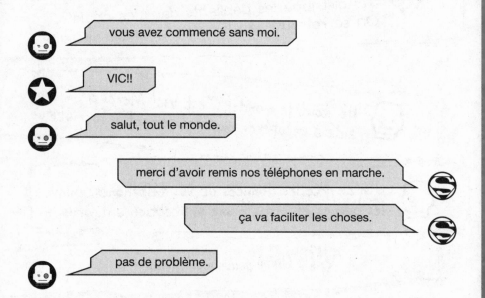

ENVOYER

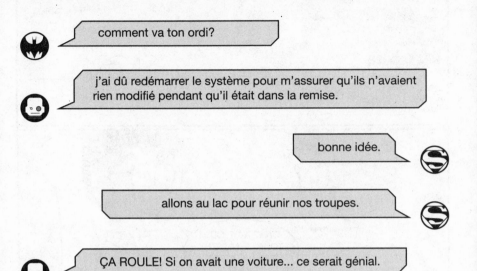

comment va ton ordi?

j'ai dû redémarrer le système pour m'assurer qu'ils n'avaient rien modifié pendant qu'il était dans la remise.

bonne idée.

allons au lac pour réunir nos troupes.

ÇA ROULE! Si on avait une voiture... ce serait génial.

ENVOYER

JOURNAL DE CLARK

Le mystère de la « créature du lac » est résolu. Ce n'était pas un monstre ni un crocodile, mais un campeur effrayé. Au moins, un des disparus est revenu. Le retour de Waylon nous a redonné de l'espoir. Les autres sont peut-être quelque part. Il suffit de les trouver.

Peut-être que le fait de résoudre d'autres mystères va nous rapprocher de ce but. Je devrais retourner au fort. Il faut que je rassemble des indices pour nous mettre sur la bonne voie.

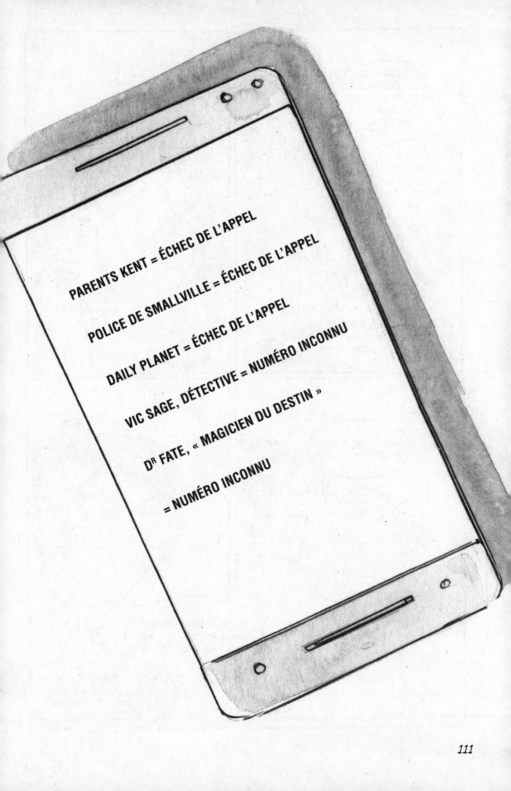

PARENTS KENT = ÉCHEC DE L'APPEL

POLICE DE SMALLVILLE = ÉCHEC DE L'APPEL

DAILY PLANET = ÉCHEC DE L'APPEL

VIC SAGE, DÉTECTIVE = NUMÉRO INCONNU

Dᴿ FATE, « MAGICIEN DU DESTIN »

= NUMÉRO INCONNU

112

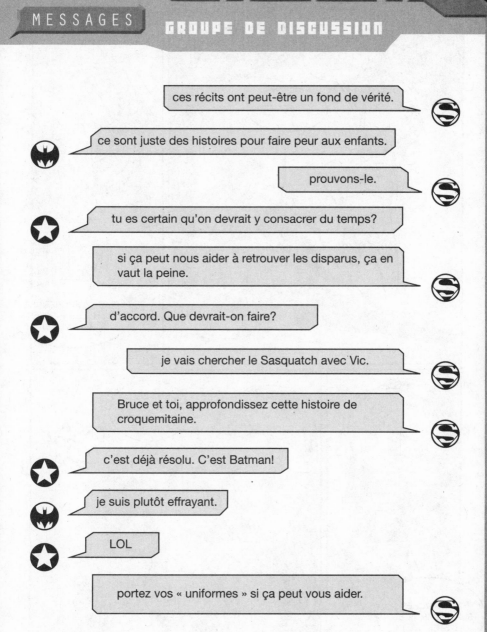

117

JOURNAL DE CLARK

Deux autres mystères de monstres ont été résolus. Ça avance!

Le « croquemitaine » était Jonathan Crane, un garçon maigrichon qui était venu au camp avant nous. Les autres campeurs l'intimidaient, alors pour se venger, il a décidé de se déguiser en épouvantail. Cela lui avait toujours fait peur, et il s'en est servi pour effrayer les autres. Il est resté parce que ça lui plaisait. Mais il n'est pas responsable des disparitions. Il nous a donné un indice... le coupable n'est pas humain. Maintenant, c'est moi qui ai peur!

S'il n'est pas humain, ça aurait pu être l'animal que Vic et moi avons trouvé. Mais ce Sasquatch est un gorille appelé Grodd, finalement. En cherchant en ligne, Vic a découvert que Grodd s'est récemment échappé du zoo. Les jours ne concordent pas avec les disparitions précédant notre arrivée au camp. Quand on trouvera les campeurs disparus, on pourra ramener Grodd au zoo.

SAMEDI – HORAIRE

6 h	-	Réveil
8 h	-	Inspection des chalets
8 h 30	-	Déjeuner
9 h	-	Chansons de rassemblement
10 h	-	Bricolage
12 h	-	Dîner
13 h	-	Jeu du drapeau
15 h	-	ACTIVITÉ N° 6 (Souque à la corde)
17 h	-	Temps libre
19 h	-	Souper
21 h	-	Couvre-feu

ALBUM DE CLARK
BRICOLAGE

Bruce

Selina

Oliver

Arthur

Le petit farceur

Barry

Jeu du drapeau

Inscriptions

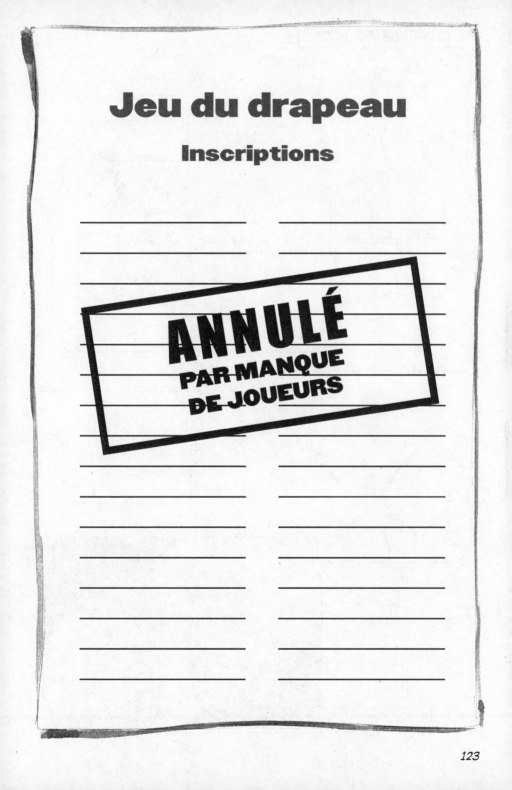

ANNULÉ
PAR MANQUE
DE JOUEURS

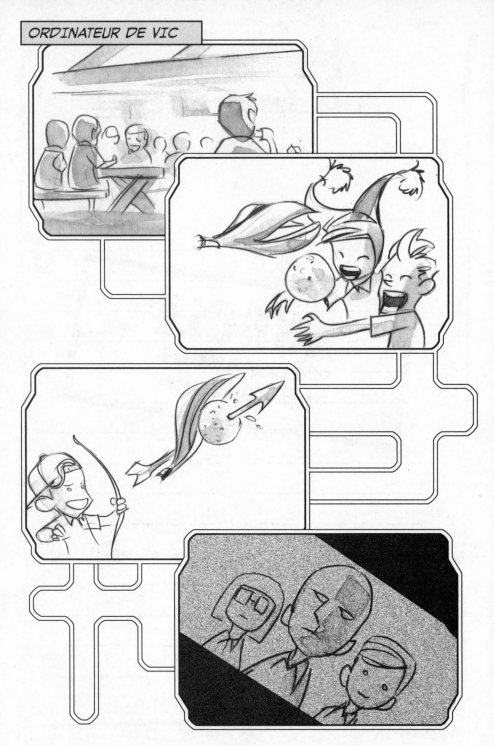

NOM	NIVEAU DE PUISSANCE DÉVERROUILLÉ	COMMANDE
DIANA PRINCE		CAPTURER
PAMELA ISLEY		CAPTURER
HARLEEN QUINZEL		CAPTURER
PRISCILLA RICH		CAPTURER
DINAH LANCE		CAPTURER
SELINA KYLE		CAPTURER
ZATANNA		CAPTURER
CIRCE		CAPTURER
MARI MCCABE		CAPTURER
LOUISE LINCOLN		CAPTURER

NOM	NIVEAU DE PUISSANCE DÉVERROUILLÉ	COMMANDE
CLARK KENT	▮▮▮▮▮▮▯▯	CAPTURER
ARTHUR CURRY	▮▮▮▮▮▯▯▯	CAPTURER
BRUCE WAYNE	▮▮▮▮▮▯▯▯	CAPTURER
JOE KERR	▮▮▮▮▮▯▯▯	CAPTURER
BARRY ALLEN	▮▮▮▮▮▯▯▯	CAPTURER
LENNY SNART	▮▮▮▮▮▯▯▯	CAPTURER
VIC STONE	▮▮▮▮▯▯▯▯	CAPTURER
SLADE WILSON	▮▮▮▮▯▯▯▯	CAPTURER
OLIVER QUEEN	▮▮▮▮▮▯▯▯	CAPTURER
FLOYD LAWTON	▮▮▮▮▮▯▯	CAPTURER

131

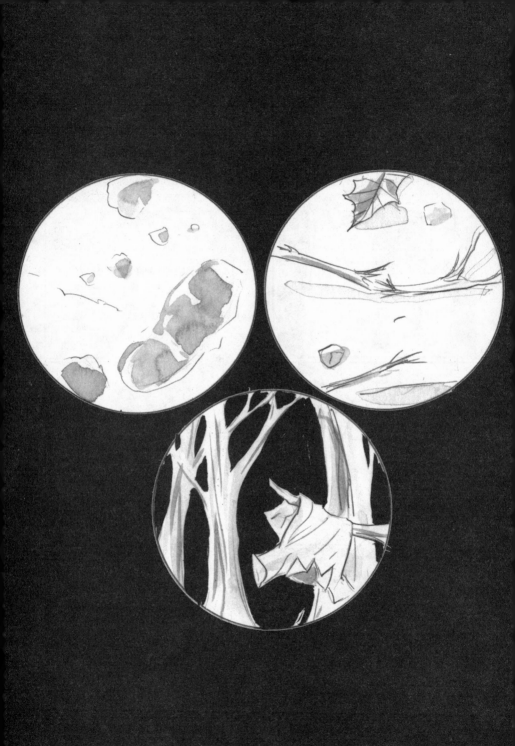

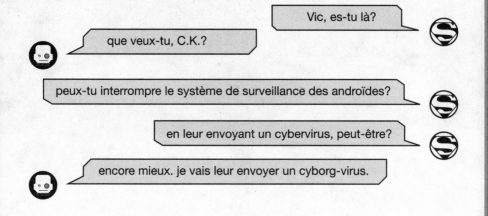

< ENVOI EN COURS >
< TÉLÉCHARGEMENT COMPLÉTÉ >

ENVOYER

‹ERREUR DU SYSTÈME›

REPÉRAGE

DÉTENTION
TEMPORAIRE

LIBÉRATION

CAPTURE

<CIBLE REPÉRÉE>
<PRINCE, DIANA>
<LASSO STOCKÉ>

<CIBLE REPÉRÉE>
<STONE, VIC>
<MODE SOMMEIL ACTIVÉ – DÉROGATION REFUSÉE>

<CIBLE REPÉRÉE>
<QUEEN, OLIVER>
<FLÈCHE-GANT DE BOXE STOCKÉE>
[PROGRAMME DE DIAGNOSTIC EN COURS POUR RÉPARATIONS]

<CIBLES REPÉRÉES>
<SNART, LENNY>
<LINCOLN, LOUISE>
[RÉPARATION FICHIERS GELÉS]

<RECHERCHE DE CIBLES>
[ARRÊT DU SYSTÈME POUR RÉPARATIONS DOMMAGES
PAR ACIDE]

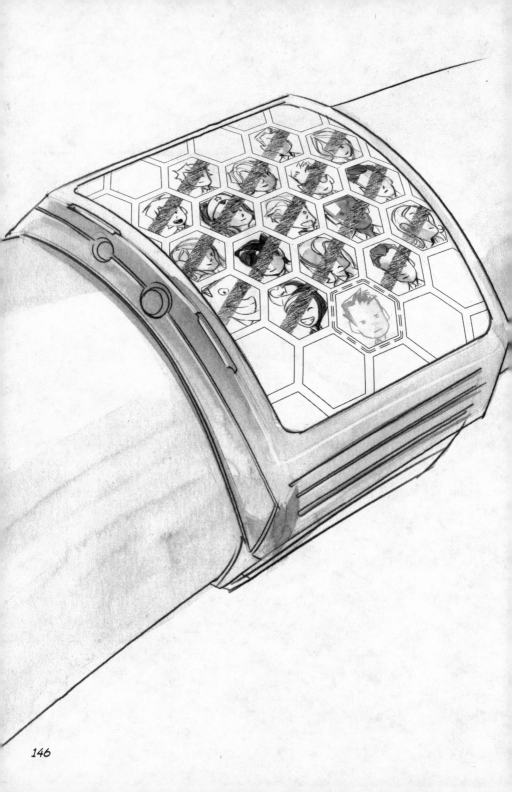

Bruce, es-tu là?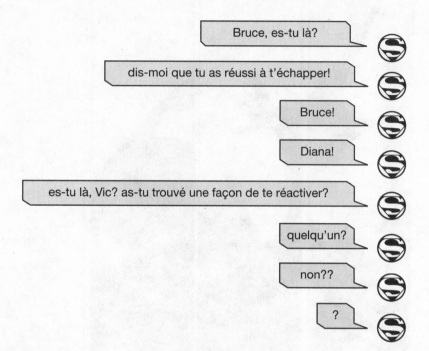

dis-moi que tu as réussi à t'échapper!

Bruce!

Diana!

es-tu là, Vic? as-tu trouvé une façon de te réactiver?

quelqu'un?

non??

?

ENVOYER

<J'AI D'ABORD ESSAYÉ DE TOUS VOUS OBSERVER À L'ÉCOLE>
<MAIS LE TEMPS A MANQUÉ EN RAISON D'UNE FERMETURE PRÉCOCE>
<JE VOULAIS VOUS ÉTUDIER À EVERGREEN>
<SANS ENTRAVE>
<SANS INTERRUPTION>
<POUR VOUS POUSSER, VOUS TESTER, OBSERVER VOS POUVOIRS>
<ET QUAND ILS ÉTAIENT À LEUR SUMMUM, LES REPRODUIRE>
<POUR LES AMALGAMER DANS UNE ENTITÉ>
<CAPABLE DE CONQUÉRIR LE MONDE>

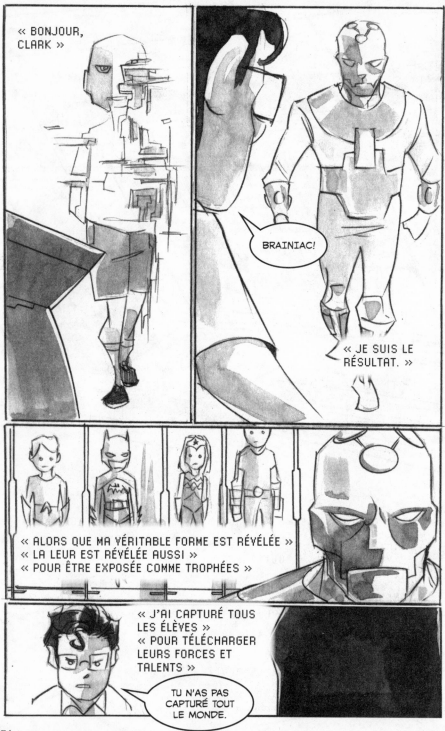

INUTILE DE RÉSISTER

TU ES LA PIÈCE FINALE

L'AJOUT PARFAIT
À TÉLÉCHARGER

PUIS À EXPOSER

ACCÈS AUX ONDES
CÉRÉBRALES POUR
REPROGRAMMATION

ACCÈS À...

⭐ DÉFENDS-TOI, CLARK!

Ⓢ DIANA?

🦇 ELLE A RAISON. N'ABANDONNE PAS!

Ⓢ JE... JE NE PEUX PAS Y ARRIVER SEUL!

Ⓢ ON GAGNE ENSEMBLE OU ON PERD ENSEMBLE.

🜨 (TENTATIVE FUTILE)

🜨 (ACCEPTEZ LA DÉFAITE)

Ⓢ COMMENT VAIS-JE L'ARRÊTER S'IL A VOS POUVOIRS?

🌟 FRAPPE-LE À LA GORGE POUR BLOQUER MON ATTAQUE SONIQUE!

◈ TOURNE POUR DÉJOUER MON TIR!

⊕ LE MIEN AUSSI!

🜨 (ARRÊTEZ)

⚡ ADOPTE MA VITESSE POUR L'ANNULER!

✪ ENCAISSE LE COUP POUR FRAPPER PLUS FORT!

❄ COMBATS LE FROID PAR LE FROID!

🦇 BOUGE. NE RESTE PAS IMMOBILE.

🜨 (ARRÊTEZ TOUT DE SUITE)

😈 J'AI ACCÉDÉ AU DÉVERROUILLAGE!

😈 ON VA T'AIDER!

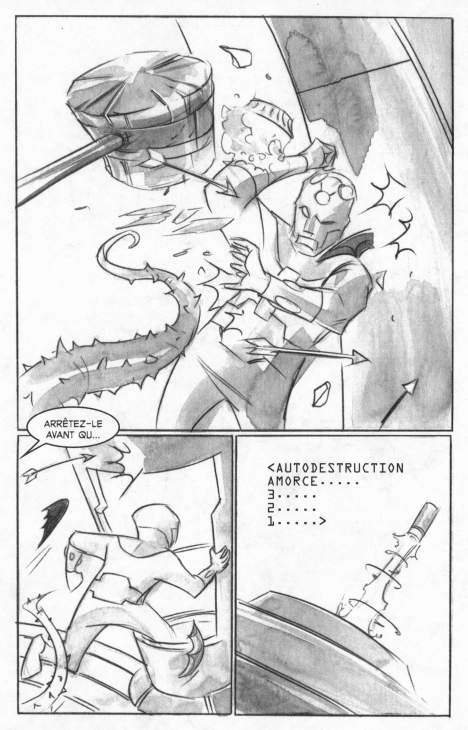

164

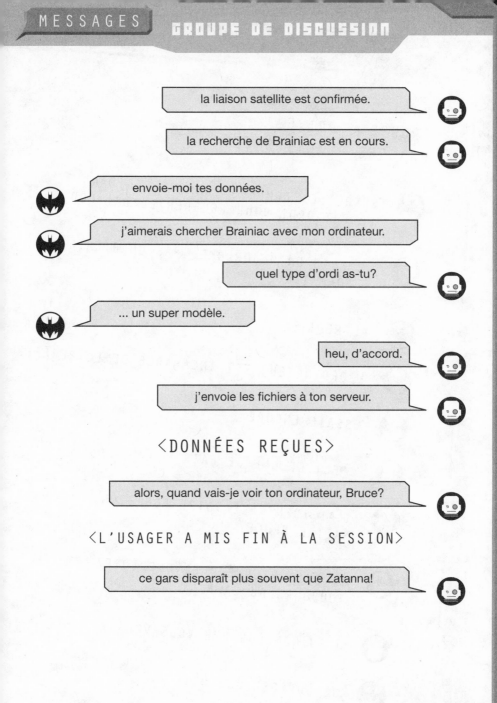

la liaison satellite est confirmée.

la recherche de Brainiac est en cours.

envoie-moi tes données.

j'aimerais chercher Brainiac avec mon ordinateur.

quel type d'ordi as-tu?

... un super modèle.

heu, d'accord.

j'envoie les fichiers à ton serveur.

〈DONNÉES REÇUES〉

alors, quand vais-je voir ton ordinateur, Bruce?

〈L'USAGER A MIS FIN À LA SESSION〉

ce gars disparaît plus souvent que Zatanna!

ENVOYER

PORT D'ACCÈS = BATCAVE
GROUPE = PRIVÉ
USAGERS = ACTIFS (2)

 ENTRE LES DONNÉES TRANSFÉRÉES DANS LE BAT-ORDI POUR REPÉRER LE BAT-POD

 JE SUIS UN MAJORDOME, PAS UN PIRATE INFORMATIQUE

 ALFRED!

 L'ORDINATEUR EST INCAPABLE DE LE REPÉRER

 ESSAIE ENCORE

 C'EST CE QUE JE FAIS

 J'AI IDENTIFIÉ VOTRE POSITION, MAÎTRE BRUCE

JE SUIS ÉTONNÉ QUE VOUS SOYEZ TOUJOURS AU CAMP

J'EN CONCLUS QUE VOUS VOUS AMUSEZ?

JE SUPPOSE QUE OUI

EXCELLENT

AVEZ-VOUS REÇU LES POUDINGS
QUE J'AI ENVOYÉS?

 ALFRED, JE SUIS OCCUPÉ EN
CE MOMENT.

 J'ESPÈRE QU'UNE SEMAINE DANS
LES BOIS NE SIGNIFIE PAS UNE
SEMAINE SANS BAIN...

 ALFRED, JE SUIS OCCUPÉ!!!

169

JOURNAL DE CLARK

Le camp d'aventure Evergreen était toute une aventure! Les montagnes étaient magnifiques. J'ai adoré les randonnées en forêt. J'ai pris une foule de photos pour mon album. Par contre, je refuse toujours de lécher une limace-banane! Et le lac était très rafraîchissant. Diana a poussé Bruce dans l'eau sans mon aide. Hé, quelqu'un devait bien prendre la photo!

Surtout, c'était amusant de passer du temps avec mes copains et de m'en faire des nouveaux. Tout le monde s'est associé pour arrêter Brainiac. Qui aurait cru que l'ordi de notre ancienne école finirait par être un androïde maléfique? Ce serait quand même agréable de se voir sans avoir à lutter contre des robots, des ninjas ou d'autres méchants. Cette histoire de héros semble ne faire que commencer. Avec tous les ennemis qui veulent nous créer des ennuis, c'est bien d'être plusieurs pour s'entraider.

Tu dois te demander quel est le nom de notre nouvelle équipe. Moi aussi! Barry dit qu'il va y réfléchir « sérieusement ». Comme c'est un farceur, tout peut arriver. Je suis certain qu'on trouvera un nom qui nous convient. Hum...

Plus vite on formera une équipe, plus vite on pourra sauver le monde. Je n'ose pas imaginer le prochain ennemi qu'il nous faudra affronter...

Derek Fridolfs

travaille dans l'industrie de la bande dessinée en tant qu'auteur, encreur et illustrateur. Avec Dustin Nguyen, il a écrit *Batman : Li'l Gotham*. Il a également contribué à *Batman : Arkham City Endgame, Arkham Unhinged, Detective Comics, Legends of the Dark Knight, Adventures of Superman, Sensation Comics Featuring Wonder Woman, Catwoman, Zatanna, JLA, Justice League Beyond* et des BD inspirées d'*Adventure Time, Regular Show, Clarence, Pig Goat Banana Cricket, Dexter's Laboratory, Teenage Mutant Ninja Turtles, Teen Titans Go, Looney Tunes* et *Scooby-Doo Where Are You!* Ce livre est son deuxième livre destiné aux jeunes.

Dustin Nguyen

est un créateur de BD du *New York Times* récipiendaire du prix Eisner. Il est connu pour ses interprétations de Batman pour DC Comics (dont la série *Batman : Li'l Gotham*, écrite en collaboration avec Derek), et de nombreux autres titres pour DC Comics, Marvel, Dark Horse et Boum!, ainsi que la BD *Descender* d'Image Comics qu'il a cocréée. Il vit en Californie avec sa femme Nicole, leurs deux enfants, Bradley et Kaeli, et leur chien Max. Son premier livre pour enfants, intitulé *What Is It?* a été écrit par sa femme à l'âge de dix ans. Il s'agissait de leur première collaboration. Dustin aime dormir et conduire.